MONSTRUO, ¡SÉ BUENO!

Ilustraciones de

Natalie Marshall

Editorial EJ Juventud
Provença, 101 – 08029 Barcelona

¡NO TE ASUSTES!

Hoy estás a cargo
de los monstruos.

Si les dices cómo
tienen que comportarse,
te harán caso.

Si un monstruo es ruidoso,
susúrrale al oído:

"¡SILENCIO!"

Si un monstruo está hambriento,
dale una cuchara y un tenedor y dile:

"¡MASTICA LA COMIDA!"

Si un monstruo
es abusón,
dile:

"¡HAY QUE
HACER TURNOS!"

Si un monstruo es malo,
márchate y dile:

"¡ADIÓS!"

Si un monstruo te asusta,
dale tú un susto a él y dile:

"¡BUH!"

Si un monstruo ensucia,
dile:

"¡LIMPIA!"

Si un monstruo está revoltoso, aíslalo un rato y dile:

"¡ESTATE QUIETO!"

Si un monstruo
está cansado y de mal humor,
mándalo a la cama
y dile:

"¡A

DORMIR!"

Y si el monstruo
lo pide bien,
dale un beso
y dile: